Max et Lili veulent tout tout de suite !

*Avec la collaboration
de Renaud de Saint Mars*

Série dirigée par Dominique de Saint Mars

Imprimé en CEE
ISBN : 2-88445-558-2

Ainsi va la vie

Max et Lili veulent tout tout de suite !

Dominique de Saint Mars

Serge Bloch

CALLIGRAM
CHRISTIAN GALLIMARD

Hé, Max !

Salut Tom ! Maman, c'est Tom ! Regarde, c'est exactement les chaussures qu'il me faut.

Pas maintenant ! Tes chaussures sont encore neuves !

C'est pas vrai. Elles sont trop petites. Euh, j'ai vachement grandi... elles sont trop bien, les autres !

Et elles sautent plus haut ! Normal, c'est des « Bigflex » ! Le magasin est juste là !

SUPER BIGFLEX !

9

11

MAX !

Trop grandes, je peux rien faire avec !

Évidemment, tu n'as pas voulu attendre une semaine, quel gâchis ! Ça m'énerve !

12

Évidemment, quand on veut tout, tout le temps et tout de suite !

Ça te va bien de dire ça, Lili !

Moi ! Moi qui n'ai rien demandé depuis...

... depuis au moins... deux jours !

Non, c'était la semaine dernière ! Mais vous oubliez tout. Dès que vous avez reçu quelque chose, vous voulez autre chose !

C'est ça, tu me mets dans le même sac que Max ! Mais je vais téléphoner à Mamy. Elle me comprend, elle !

Je peux passer te voir ? Quoi ?
Les courses ensemble ?

Et moi, je peux y aller aussi ?

Non, c'est à Lili que Mamy a proposé cette fois-ci. Tu ne peux pas t'imposer... surtout pour te faire offrir des cadeaux !

Et on pourra achet...

On va faire des courses pour la maison : légumes, poisson, lessive... UN POINT, C'EST TOUT !

Tu peux m'acheter ce stylo ? Je crois qu'on m'a volé le mien...

Il était sans doute trop beau... Il ne faut jamais faire envie, dans la vie !

PRIX CHOC

18

19

caisse

Et cette super brosse !

Tu en as besoin ? Mais tu as déjà...

On dirait que c'est une avance pour mon anniversaire ! Et puis les chouchous aussi, d'accord ?

24

25

26

29

Après, on se rend compte que l'argent, ça ne se gagne pas comme ça et que tout ne marche pas du premier coup !

On n'est pas Superman, quoi !

Mais... dis-moi, papa, tes chaussures, je ne les ai jamais vues ! Elles sont neuves, non ?

Mais non, elles sont vieilles, je ne les porte jamais, c'est tout !

Ouais, parce que vous, les parents, vous avez tout ! Et vous ne vous refusez rien !

Évidemment vous avez l'argent ! C'est vous qui décidez !

Quand vous gagnerez de l'argent, vous ferez ce que vous voudrez avec ! Et puis, ÇA SUFFIT la tyrannie des enfants, C'EST NOUS QUI COMMANDONS, ICI !

Et d'abord, il faut du temps pour devenir une grande personne !

C'est long d'attendre !

Et toi, tu leur cèdes trop, Barbara !

Oh ! Et toi alors ? Mais ils insistent tellement ! J'ai peur qu'ils croient que je ne les aime pas... Mais, après, je m'en veux et je leur en veux !

Il suffit de leur montrer qu'on est fier d'eux... surtout quand ils sont capables d'attendre, par exemple !

CHEZ LE CONCESSIONNAIRE AUTOMOBILE...

Celle que vous voulez n'est pas disponible immédiatement.
En revanche, vous pouvez repartir avec celle-ci, le haut de gamme, magnifique !

Allez, papa, elle est vraiment mieux, avec toutes les options !

Mais elle est aussi beaucoup plus chère...

Tu sais, notre voiture marche bien ! Ce serait beaucoup d'argent pour pas grand-chose ! Je devrais prendre un emprunt à la banque...

36

37

Patience ! Plus qu'une truite à prendre pour en avoir une chacun ! C'est encore meilleur quand on attend, Lili !

Paul, tu as fermé la voiture à clé ?

Je ne vois pas qui volerait notre vieille guimbarde !

C'est ça la liberté !

Et la bonne humeur, le rire... ça ne se vole pas, ça ne s'achète pas ! C'est gratuit !

Et toi...

Est-ce qu'il t'est arrivé la même histoire qu'à Max et Lili ?

Supportes-tu difficilement d'attendre quand tu as envie
de quelque chose ? Insistes-tu ? Fais-tu une crise ?

As-tu peur de ne plus pouvoir avoir ce que tu veux après ?
D'avoir moins que les autres ? As-tu déjà été déçu ?

Si tu as ce que tu veux, ça te calme, ou ça ne t'intéresse
plus ? Es-tu encore insatisfait ? Te fatigues-tu vite de tes jeux ?

Une envie très forte te fait-elle oublier la réalité, le manque d'argent, les trucages de la pub, la patience des autres ?

Si on te refuse, te sens-tu rejeté ? Crois-tu qu'on ne t'aime plus ? Boudes-tu ? Deviens-tu agressif ?

Si tes parents cèdent toujours, se fâchent-ils après ? Voudrais-tu qu'ils disent non parfois ? Rire plus avec eux ?

Tu n'es pas inquiet ? Penses-tu que tu l'auras plus tard ?
Que tu t'en lasseras ?

Utilises-tu longtemps les choses ? Préfères-tu imaginer,
choisir ce qui te fait le plus plaisir, comparer les prix ?

As-tu l'habitude d'attendre, de t'organiser si tu n'as
pas ce que tu veux ? Où as-tu appris la patience ?

Tes parents t'expliquent -ils franchement pourquoi ce n'est pas possible ? Te disent-ils une blague pour te faire oublier ?

Es-tu rassuré qu'ils décident parfois à ta place car tu les sens sûrs d'eux ? Préfères-tu en reparler plus tard ?

As-tu l'impression qu'on comprend tes besoins, tes envies ? Qu'on t'aime, même si on te refuse ?

**Après avoir réfléchi
à ces questions
sur l'impatience
tu peux en parler
avec tes parents ou tes amis.**